I Darren a Mark, a oedd heb wely R.P.

Cyhoeddwyd yn Gymraeg yn 2013
gan Wasg y Dref Wen Cyf.
28 Heol yr Eglwys, Yr Eglwys Newydd, Caerdydd CF14 2EA.
Testun a lluniau © Rebecca Patterson 2012
Y cyhoeddiad Cymraeg © 2013 Dref Wen Cyf.
Mae Rebecca Patterson wedi datgan ei hawl i gael ei chydnabod fel awdur a darlunydd
y gwaith hwn yn unol â Deddf Hawlfraint, Dyluniadau a Phatentau 1988.

Cyhoeddwyd gyntaf
yn Saesneg yn 2012,
gan Macmillan Children's Books,
adran o Macmillan Publishers Ltd
20 New Wharf Road, Llundain N1 9RR
dan y teitl Not on a School Night.

Mae'r cyhoeddwr yn cydnabod cefnogaeth ariannol
Cyngor Llyfrau Cymru.
Argraffwyd yn China.

DDIM AR NOSON YSGOL!

NOT ON A SCHOOL NIGHT!

Rebecca Patterson

Addasiad gan Elin Meek

DREF WEN

Amser gwely nos Lun, bydd Dad yn ein rhoi ni yn ein gwelyau, yn darllen stori i ni ac yn dweud nos da.

Ond ...

At bedtime on Monday, Daddy tucks us in, reads us a story and says goodnight.

But ...

... dydyn ni ddim eisiau cysgu!

Ni yw GWIB a FFLACH —

tan i Mam ddod lan
a dweud,
"DDIM AR NOSON
YSGOL!"

... we don't want to sleep!
We are SUPERBOY and LITTLE FLASH -
until Mummy comes up and says,
"NOT ON A SCHOOL NIGHT!"

Ar ôl diffodd y golau nos Fawrth, rydyn ni'n gwisgo ein sliperi doniol ac yn troi'n ddeinosoriaid.

After lights out on Tuesday, we put on our silly slippers and are dinosaurs.

Ond mae Dad yn dod lan ac yn dweud wrthon ni am "ROI'R GORAU I'R HOLL RUO 'MA!"

But Daddy comes up and tells us to "STOP ALL THIS ROARING!"

Mae amser gwely nos Fercher yn hwyl a hanner!
Rydyn ni'n gwneud PENTWR ENFAWR
yn barod am ...

Wednesday bedtime is fun! We pile EVERYTHING up to do ...

Y NAID FAWR!

THE BIG JUMP!

Ac rydyn ni'n neidio,
And we jump,

ac yn neidio,
and jump,

ac yn neidio,
and jump,

ac yn neidio eto!
and jump again!

"Pwy sy'n gwneud yr holl dwrw 'ma?" gofynna Mam.
"Does gen i ddim syniad! Rydyn ni'n cysgu'n drwm," atebaf.
Ac rydyn ni'n chwyrnu.

"Who is doing all this thudding?" says Mummy.

I say, "I have no idea! We are fast asleep." And we snore.

Ar nos Iau rydyn ni'n dawel IAWN, IAWN.

On Thursday night we are EXTRA quiet.

Rydyn ni'n gwisgo ein dillad gwely amdanom.

We dress up in our bed things.

Brenin Clustog ydw i,
I am King Pillow,

a Gwlithen Gwilt yw fy mrawd.
and my brother is Mr Duvet Slug.

Rydyn ni'n chwerthin nerth ein pennau ...
We laugh our heads off ...

tan i Mam weiddi, "EWCH I GYSGU NAWR!"
until Mum shouts, "GO TO SLEEP NOW!"

A dyfala beth mae fy mrawd yn ei wneud?
MAE'N MYND I GYSGU!

And guess what my brother does?
HE GOES TO SLEEP!

A fi yw'r UNIG berson
Sy'n effro yn y TŶ I GYD!
And I am the ONLY person awake in the WHOLE HOUSE!

Felly dwi'n mynd i gysgu'n gyflym iawn!

So I go to sleep, super quick!

Ond mae'n nos Wener nawr.

Mae pob nos Wener yn arbennig.

Rydyn ni'n cael

bwyta te yn ein pabell.

But now it's Friday.
Friday nights are special.
We are allowed to eat tea in our den.

Dydy nos Wener DDIM yn noson ysgol!
Rydyn ni'n aros ar ein traed yn hwyr ...

... ac yn gwylio'r teledu.
Friday night is NOT a school night!
We stay up late and watch TV.

Mae nos Wener yn hwyl!

Friday night is fun!

Mae hi bron cystal â ...

It is almost as good as ...

bore dydd Sadwrn!

Saturday morning!